W9-BZG-389

LE JAPON

L'édition originale de cet ouvrage a paru sous le titre: *JAPAN*

Adaptation française de Lydwine Dumont
Illustrations de Rob Shone

D/1989/0195/34
ISBN 2-7130-0992-8
(édition originale: ISBN 0 86313 700 8)

Exclusivité au Canada:
Les Éditions École Active
2244, rue Rouen, Montréal H2K 1L5
Dépôts légaux, 3e trimestre 1989,
Bibliothèque nationale du Québec
Bibliothèque nationale du Canada
ISBN 2-89069-208-6

Imprimé en Belgique

SOMMAIRE

À TRAVERS L'HISTOIRE

LE JAPON

De 5000 av. J.-C. à nos jours

Mavis Pilbeam - Lydwine Dumont

Éditions Gamma – Les Éditions École Active
Paris - Tournai - Montréal

INTRODUCTION

Un mythe japonais rapporte que, à la suite d'une dispute avec son frère, le dieu de la Tempête, Ameratsu, la déesse du Soleil, se cacha dans une grotte, faisant ainsi régner l'obscurité. Les autres dieux se rassemblèrent à l'entrée de la grotte où se trouvait un arbre sacré. Ils y pendirent un bijou et un miroir. Une déesse exécuta une danse comique qui les fit rire. Attirée par le bruit, Ameratsu sortit la tête et vit son visage éclatant se refléter dans le miroir. Alors qu'elle s'avançait pour mieux se regarder, l'un des dieux referma l'entrée de la grotte. Et le soleil se remit à briller.

Archipel situé à l'est de l'Asie, le Japon est peu étendu mais riche. Sa culture toujours vivante et variée plonge ses racines loin dans le passé. Les premiers textes historiques furent écrits par des Chinois au premier siècle de notre ère. Tout au long de leur histoire, les Japonais ont su, presque toujours, sauvegarder leur indépendance tout en s'intéressant au monde extérieur. Depuis près de 2000 ans, ils ont emprunté des idées aux peuples de Chine, de Corée, d'Europe et des États-Unis, et les ont adaptées à leur mentalité. Leur comportement et leur art ont gardé une empreinte typiquement japonaise. Le sens de l'ordre et l'amour de la nature, du beau et de la perfection transparaissent dans leur façon de vivre et de travailler.

D'anciennes légendes racontent l'origine du Japon et de la famille impériale. Celle-ci a survécu aux luttes pour le pouvoir qui se sont succédé au cours des siècles et constitue un trait d'union entre le passé et le présent de ce pays aujourd'hui industrialisé.

Dans le présent album, l'histoire du Japon est divisée en quatre parties. La première décrit la lente unification des tribus dispersées en une nation dirigée par un empereur. La suivante, une période de guerres civiles marquée par l'arrivée des Européens. Ensuite, le Japon connaît une époque de repli, qui permet un développement pacifique de la société et des arts. La dernière partie montre un Japon qui devient une des grandes puissances économiques mondiales.

LA FORMATION DU JAPON

La civilisation japonaise débute vers 5000 av. J.-C., époque à laquelle remontent les premières traces de poterie. Vers 300 av. J.-C., la culture du riz et la fabrication d'outils en métal et d'épées se développent sous l'influence de l'Asie. Des historiens chinois de cette période relatent les luttes pour le pouvoir menées par de multiples clans jusqu'à ce que, vers 400 ap. J.-C., Jimmu, un chef puissant, s'impose. C'est de sa lignée que seront issus les empereurs. La capitale est installée dans la province de Yamato, située à l'ouest. Par la suite, des peuplements s'établiront plus à l'est.

La vie devient plus paisible. Les Japonais s'ouvrent à la culture de la Chine. Ils s'inspirent de sa forme de gouvernement, de son art, et adoptent le bouddhisme. Les empereurs font de leurs capitales de superbes villes et construisent des temples et des palais remarquables. Mais peu à peu, la dynastie s'affaiblit et le pouvoir tombe entre les mains des seigneurs de la guerre.

5000 av. J.-C. – 1192 ap. J.-C.

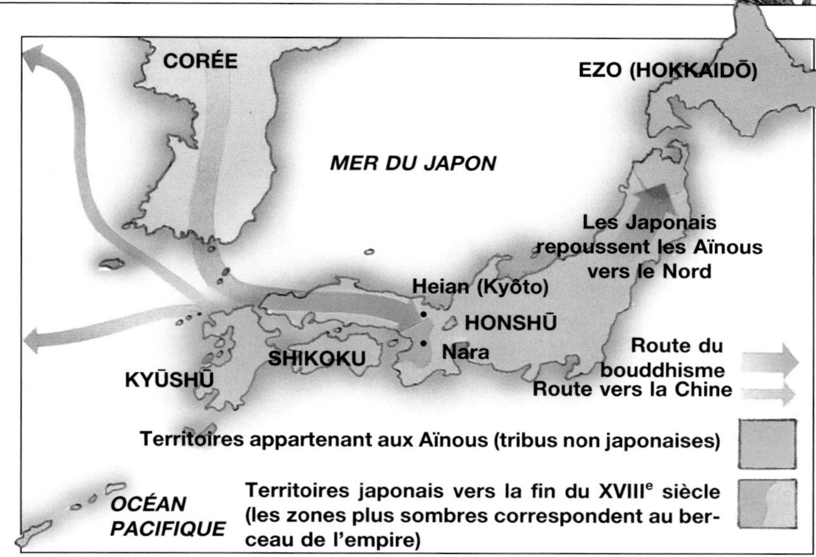

Pendant la période Heian, qui s'étend de 794 ap. J.-C. à 1192, la Cour impériale fut l'une des plus élégantes de toute l'histoire du Japon. Une famille aristocratique, du nom de Fujiwara, conseillait l'empereur et veillait à ses divertissements. Ainsi, chaque année, un concours de tir à l'arc était organisé à l'occasion du Nouvel An.

CHRONOLOGIE

± 10.000 à 300 av. J.-C. Les populations vivent de chasse et de pêche. Elles commencent à habiter dans des huttes. La poterie s'élabore de plus en plus.

300 av. J.-C. à 300 ap. J.-C. Création d'un nouveau style de poterie, d'objets en bronze et en fer. Naissance de la riziculture.

57 ap. J.-C. Des ambassadeurs japonais vont en Chine. Celle-ci influencera le pays pendant 800 ans.

± 300 à 552. La famille impériale est établie à Yamato. C'est l'époque des grandes sépultures: empereurs et impératrices se font enterrer sous d'énormes tumuli.

± 450. Introduction de l'écriture chinoise.

594. Sous l'action de Shotoku Taishi, le bouddhisme devient religion d'État.

645. Un nouveau gouvernement central est instauré, selon le modèle chinois.

710. Nara devient la nouvelle capitale.

752. Érection du Bouddha Todaiji.

794. Heian devient la nouvelle capitale.

858. La famille Fujiwara commence à s'imposer.

± 894. Fin de la première période d'influence chinoise.

± 1010. Murasaki Shikibu écrit le *Genji monogatari* (Le roman du prince Genji).

1160. L'empereur Goshirakawa est enlevé.

1180-1185. Guerre de Gempei; la famille Taira est défaite par Minamoto Yoritomo et son clan, qui inaugurent une période de gouvernement militaire.

Les premiers établissements

Les premiers Japonais vivaient de chasse et de pêche. C'est vers 300 av. J.-C. que la culture du riz fut introduite sur l'archipel. Le riz était planté dans des champs inondés dont l'eau était retenue par des digues. Ce travail pénible exigeait, au moment des récoltes, l'intervention de villages entiers.

Pendant très longtemps les taxes étaient payées en riz et non pas en argent. Un koku équivalait à la quantité de riz consommée par un homme en un an. La richesse d'une personne se mesurait au nombre de koku qu'il pouvait produire sur ses terres.

De nos jours, les Japonais mangent encore du riz à chaque repas. Ils travaillent toujours en groupe comme le faisaient leurs ancêtres, mais l'utilisation de machines a facilité le travail.

Les premiers potiers façonnaient des récipients pour cuisiner ou stocker des aliments, des urnes funéraires et des objets destinés aux rites religieux. Ils employaient la technique dite « aux colombins » et décoraient les pots de lignes courbes. Au IVe siècle, apparurent des formes plus dépouillées.

Le shintoïsme

Au Japon, le shintoïsme, «le Chemin des dieux», est la plus ancienne religion. Les shintoïstes croient que chaque élément de la nature – arbre, rivière ou montagne – est la demeure d'un dieu. En hommage à ces dieux, ils ont construit des temples et, de nos jours, ils s'y rendent encore, spécialement au Nouvel An, et y prient pour que bonheur et santé leur soient accordés. La majorité des gens se marient selon le rite shintoïste et aiment célébrer les divinités.

On disait que le premier empereur, Jimmu, descendait de la déesse Soleil et que celle-ci lui avait remis les Trois Trésors Sacrés: un Miroir, un Sabre et un Joyau. Ces derniers sont gardés dans le temple d'Ise, représenté ci-contre. Ce temple est reconstruit tous les vingt ans et est entretenu par des prêtresses vêtues comme il y a 1200 ans.

Les enterrements

Le pouvoir et la richesse des premiers empereurs se mesuraient à l'importance du kofun, le tumulus qui couvrait leur tombe. La tombe de l'empereur Nintoku, photographiée ci-contre, reproduit la forme caractéristique dite en «trou de serrure»; elle mesure 486 mètres de long. Elle était entourée de rangées de *haniwa*, statuettes en terre représentant des guerriers, des cavaliers, des courtisans et des courtisanes. Leur rôle était de protéger et de servir l'empereur dans l'au-delà. Les funérailles s'accompagnaient de danses rituelles.

L'influence chinoise

En 57 ap. J.-C., des ambassadeurs japonais furent dépêchés en Chine. Ce fut le début de l'influence chinoise qui se prolongea pendant 800 ans. Un gouvernement et un système de taxation furent instaurés selon le modèle chinois. Pour construire leurs capitales, les empereurs s'inspirèrent du tracé de la ville chinoise de Changan. Le savoir et l'art chinois furent importés.

La religion bouddhique, née en Inde, se propagea au Japon par le biais de la Chine et de la Corée au VIe siècle. Shotoku Taishi, un homme d'État, accueillit des moines bouddhistes à la Cour. La majorité de la population était adepte à la fois du shintoïsme et du bouddhisme. De nombreux temples furent construits: celui de Todaiji, à Nara, abrite un Bouddha en bronze de seize mètres de haut (à droite).

L'écriture

Les Japonais commencèrent à utiliser l'écriture chinoise au cours du Ve siècle. Ils y ajoutèrent deux syllabaires (séries de nouveaux caractères) pour pouvoir écrire leur langue. La calligraphie, effectuée avec un pinceau et de l'encre sur du beau papier, devint un art grandement apprécié.

C'est vers 1010 qu'une courtisane du joli nom de Murasaki Shikibu écrivit le célèbre «Roman du prince Genji». Il raconte la vie et les amours d'un aristocrate Heian, beau et intelligent, surnommé Genji, «le Prince éclatant».

Gen-ji

Un moine guerrier Un prince bouddhiste Un aristocrate Son épouse Ses enfants

L'aristocratie
Durant la période Heian, ce furent les descendants des anciens chefs de clans qui constituèrent l'aristocratie. Ils occupaient les postes importants à la Cour de l'empereur. Le clan Fujiwara devint le plus puissant en mariant ses filles à différents empereurs.

Heian, l'actuelle Kyôto, se situait dans l'une des cinq provinces d'alors. Tous les aristocrates voulaient vivre à Heian ou dans les environs. Ils considéraient ceux qui habitaient en dehors comme des barbares qui ne servaient qu'à cultiver le riz et à payer les taxes.

La vie à la Cour était fort réglementée. Les enfants voyaient peu leurs parents. Les aristocrates aimaient les beaux objets, les vêtements élégants et la nature. C'est dans ce milieu fermé que se développa la très spéciale culture japonaise.

La fin de la période Heian
Au XIIe siècle, certains empereurs renoncèrent à gouverner pour se faire prêtres. Certains de ces « empereurs cloîtrés » tentaient de contrôler en coulisse le jeune empereur nouvellement nommé.

Tandis que deux grandes familles de guerriers, les Minamoto et les Taira, entamaient une lutte pour le pouvoir, des tensions naquirent entre les empereurs et leurs conseillers Fujiwara.

L'un des empereurs cloîtrés, Goshirakawa, fut capturé par les Minamoto et les Fujiwara. Finalement, le clan Minamoto sortit victorieux de la lutte acharnée qui l'opposait au clan Taira.

LA PÉRIODE DE TROUBLES 1192-1603

En 1192, Minamoto Yoritomo reçut le titre de shogun, c'est-à-dire de généralissime. Il basa son shogunat à Kamakura. Les empereurs restés à Kyôto perdirent peu à peu leur pouvoir et, pendant les sept siècles qui suivirent, le pays fut en fait gouverné par les shoguns. Ceux-ci s'affaiblirent et ce furent les seigneurs locaux, les daïmyos qui firent la loi dans leur région. Chacun d'entre eux se constitua une armée privée de guerriers samouraïs. Il s'ensuivit une période de conflits où chacun se battait pour survivre ; le gouvernement central perdit tout contrôle.

Et pourtant, le Japon connut à cette époque un essor commercial et industriel ainsi qu'un renouveau artistique et religieux. En effet, le bouddhisme Zen, qui prônait la simplicité de vie, fut introduit au Japon par le biais de la Chine. Trois grands chefs se succédèrent : Oda Nobunaga, Toyomi Hideyoshi et Tokugawa Ieyasu, qui unifièrent le pays.

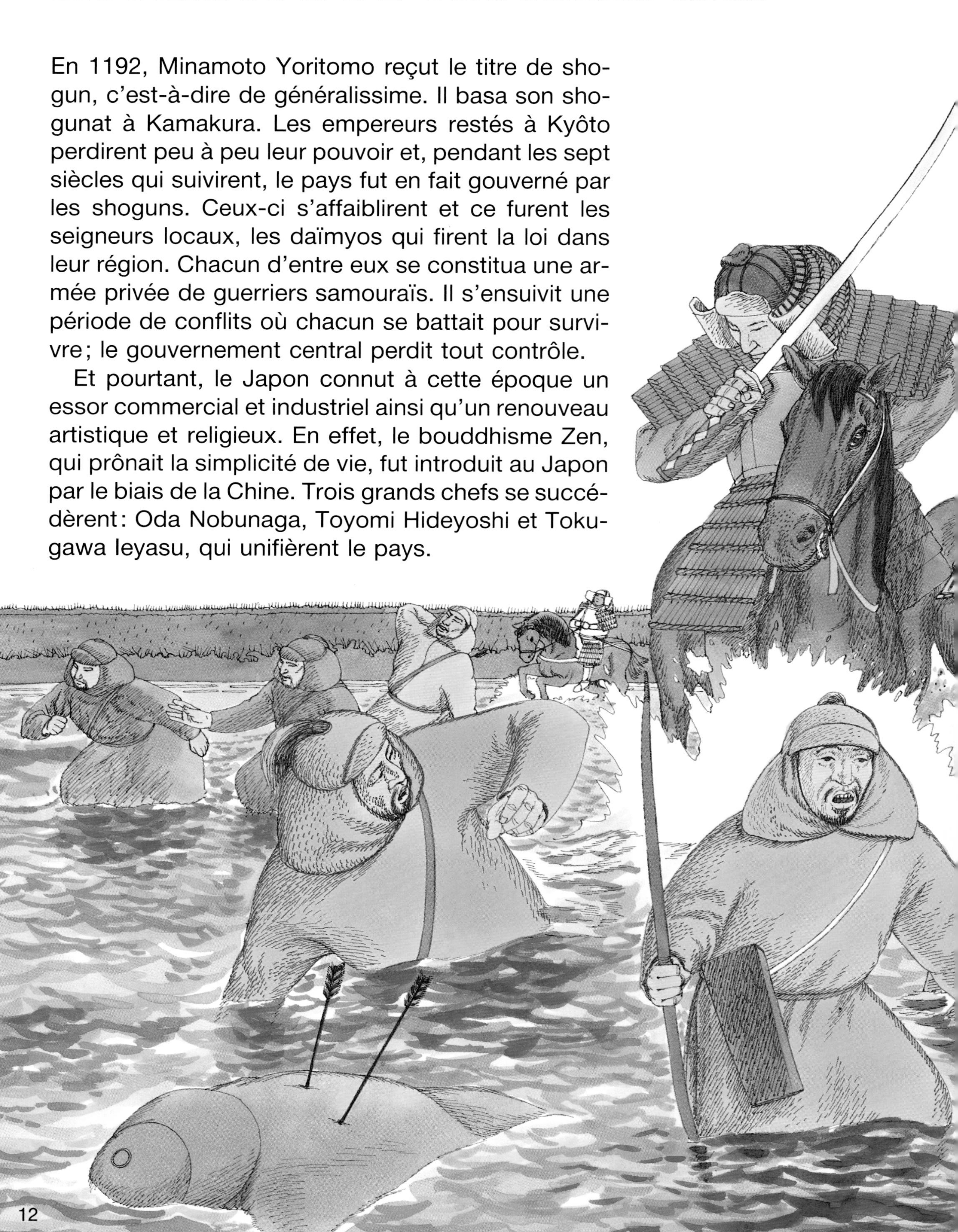

En 1274, les Mongols, d'impitoyables envahisseurs venus de Chine, attaquèrent le Japon. Ils furent défaits par les samouraïs qui construisirent de grandes murailles pour défendre le pays. Les Mongols tentèrent une nouvelle attaque mais leur flotte coula au cours d'une forte tempête.

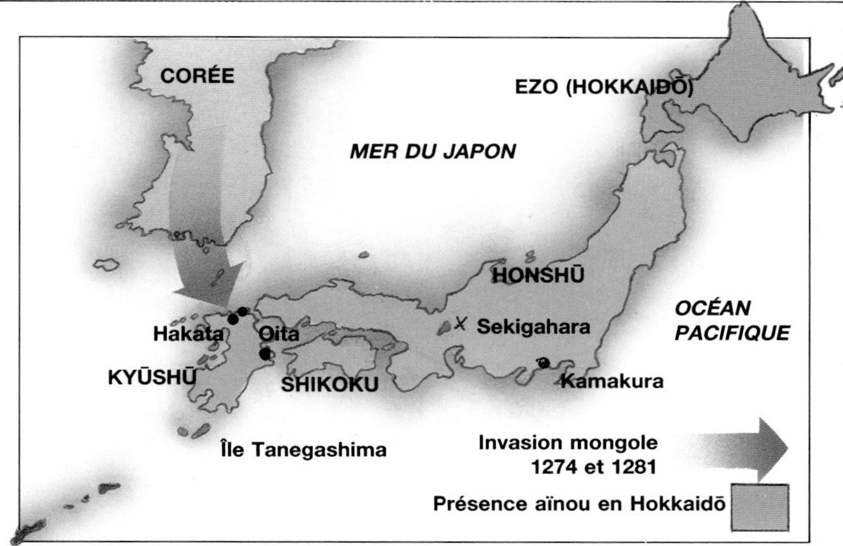

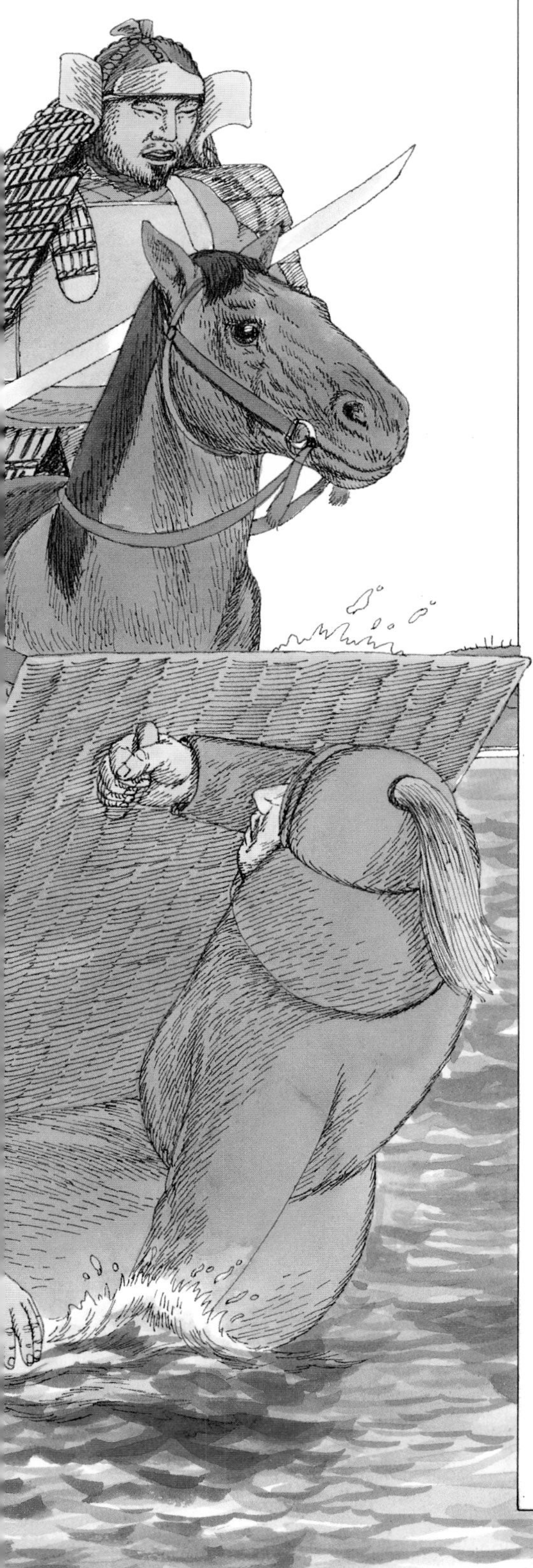

CHRONOLOGIE

1192. Minamoto Yoritomo établit le shogunat de Kamakura et nomme des représentants provinciaux.

± 1190. Le bouddhisme Zen, venu de Chine, est introduit par le moine Eisai. On assiste à un développement d'arts Zen: cérémonie du thé, arrangement floral et peinture à l'encre.

1274 et 1281. Invasions mongoles.

1338. La famille Ashikaga installe les quartiers généraux du shogunat à Kyoto.

1401. Yorimoto officialise les relations commerciales avec la Chine.

1467. Une série de guerres mène à la période de troubles.

1543. Les Portugais débarquent à Tanegashima et introduisent les armes à feu.

1549. Saint François-Xavier prêche le christianisme.

1568-1576. Oda Nobunaga, général et premier grand dirigeant du pays, renverse le shogun et gagne la bataille de Nagashino. Le shogun ne sera plus remplacé pendant les trente ans que durera la lutte pour le pouvoir.

± 1570. Les Portugais s'installent près du port de Nagasaki.

1576. Nobunaga construit le château de Azuchi.

1582. Nobunaga est assassiné par un traître.

1590. Toyotomi Hideyoshi, deuxième grand dirigeant et général, unifie le Japon.

1592 et 1597. Les invasions de la Corée échouent.

1600. William Adams, le premier Anglais au Japon, fait naufrage à Oita.

1600. Le troisième grand dirigeant, Tokugawa Ieyasu, établit son pouvoir à la bataille de Sekigahara.

Les shoguns

Au début, le rôle des shoguns était de défendre les frontières du Japon contre les Aïnous, une peuplade non japonaise du nord. Mais avec l'arrivée de Minamoto Yoritimo, les shoguns devinrent des dictateurs militaires; ils contrôlèrent les empereurs et gouvernèrent le pays par le biais de leurs représentants.

Minamoto Yoritomo avait à peine treize ans lorsqu'il participa à sa première bataille. Une fois au pouvoir, il installa ses quartiers généraux à Kamakura.

L'image ci-contre montre une visite officielle chez un shogun. Celui-ci est accompagné de son porteur de sabre, assis à sa gauche. Des gardes, postés derrière les portes, étaient chargés de bondir à la moindre alerte.

Le peuple

Le peuple était régi par les *daïmyos*. Les ouvriers étaient employés dans l'exploitation forestière, l'extraction de l'or ou dans des industries locales, telle que la fabrication du papier, qui prenaient de plus en plus d'extension. Les paysans menaient une vie dure. Ils tentaient parfois de se rebeller ou de s'enfuir, spécialement lors de mauvaises récoltes. Toutefois, lors des festivités, ils aimaient danser et boire du saké, un alcool de riz. Les taxes étaient payées en koku de riz que l'on apportait à dos de cheval à l'administrateur du daïmyo. Celui-ci calculait les redevances au moyen d'un abaque et les faisait noter par un scribe.

Les fabricants de sabres

Les fabricants de sabres occupaient le premier rang parmi les artisans. Ils avaient des procédés secrets pour fabriquer le meilleur des aciers et pour battre les lames les plus tranchantes. Un samouraï portait toujours deux sabres; ils constituaient son bien le plus précieux.

Les samouraïs

Les samouraïs étaient des guerriers au service du shogun ou du daïmyo. Ils prêtaient serment de loyauté à leur maître et étaient prêts à mourir pour lui. Ils tenaient parole et accomplissaient leur devoir sans exprimer la moindre récrimination.

L'entraînement des samouraïs est à l'origine d'arts martiaux tels que le judo et le kendo (l'escrime). Féroces guerriers, ils n'en menaient pas moins une vie simple. Adeptes du Zen – qui s'apparente au bouddhisme –, ils pratiquaient souvent la méditation, les jambes croisées.

Un samouraï tout équipé

La pêche

La pêche se développa et c'est depuis cette époque que le poisson devint un mets populaire. Sur la photo ci-dessous, on peut voir des pêcheurs d'aujourd'hui occupés à trier la prise de la nuit.

Les châteaux

Devenant de plus en plus puissants, de nombreux daïmyos se mirent à construire des châteaux pour affirmer leur puissance. Ces derniers étaient bâtis sur des promontoires murés et surmontés de tours en bois. Les remparts étaient fendus de fenêtres étroites par lesquelles les gardes tiraient des flèches ou des balles lors des attaques.

Des villes fortifiées grandirent autour des châteaux. Un grand nombre d'entre elles, comme Ôsaka, sont devenues de grands centres. Sur la photo, on peut admirer le château d'Ôsaka. Beaucoup de châteaux actuels sont des reproductions en béton de modèles anciens.

Certaines villes avaient des marchés hebdomadaires. Celles situées en bord de mer devinrent des ports. Des navires assuraient le commerce entre ces ports et avec l'étranger. Au fur et à mesure que les ports se développaient, le gouvernement central perdait son influence.

Le christianisme et les fusils

Au XVIe siècle, les marchands portugais, espagnols, hollandais et anglais naviguaient très loin pour faire fortune. Les Portugais furent les premiers à arriver au Japon. Les Japonais étaient fascinés par ces grands hommes au long nez, qui portaient des pantalons bouffants, parlaient une langue inconnue et venaient d'un pays lointain.

Le souvenir des Portugais demeure pour deux raisons. D'abord, ils amenèrent des fusils, que les Japonais apprirent rapidement à fabriquer et à utiliser. Ensuite, ils introduisirent le christianisme. Cette religion fut très populaire au début. En 1581, près de 150 000 Japonais s'étaient convertis, dont plusieurs daïmyos de l'île occidentale de Kyūshū.

Le château d'Ôsaka

La vie dans les villes

De leurs échoppes ouvertes sur la rue, les marchands constataient une certaine animation: une dispute entre samouraïs, une procession de pèlerins en route vers un temple ou des paysans transportant leurs balles de riz. Le sol des boutiques était surélevé, ce qui permettait aux passants de s'asseoir pour bavarder et regarder les marchandises: soie, saké, bols à riz ou éventails. S'ils désiraient entrer dans la boutique, les chalands devaient retirer leurs chaussures.

ISOLEMENT ET PAIX 1603-1853

Les Tokugawa furent les shoguns pendant les 250 années qui suivirent. Tokugawa Ieyasu installa la capitale à Edo (Tôkyô) et imposa des règles strictes pour maintenir la paix. Il força ses 250 daïmyos à passer la moitié de l'année à Edo. Lorsque ces derniers rentraient chez eux, ils devaient laisser leurs femmes en otages. Cette mesure était prise pour garantir leur loyauté. Mais Ieyasu récompensait aussi les daïmyos qui lui étaient le plus fidèles.

Plus tard, un shogun prit ombrage des nombreux Européens installés au Japon. Redoutant leur influence, il les renvoya et interdit le christianisme. Pendant plus de 200 ans, le Japon resta coupé du monde. Seuls quelques marchands hollandais, chinois et coréens furent admis à Nagasaki. Les livres hollandais connurent un certain succès auprès des Japonais érudits. En 1853, l'arrivée de quatre bateaux américains, en quête de marchandises, fut à l'origine de changements importants.

La route principale reliant Edo à Kyôto, appelée Tokaido, était fort fréquentée. Aujourd'hui, ce trajet se fait en trois heures et demie avec le train à très grande vitesse, mais, à l'époque d'Edo, cela pouvait prendre trente jours. Il y avait peu de ponts; les contrôles, en revanche, étaient nombreux. Ainsi, tout mouvement secret de la part des daïmyos, était rendu impossible.

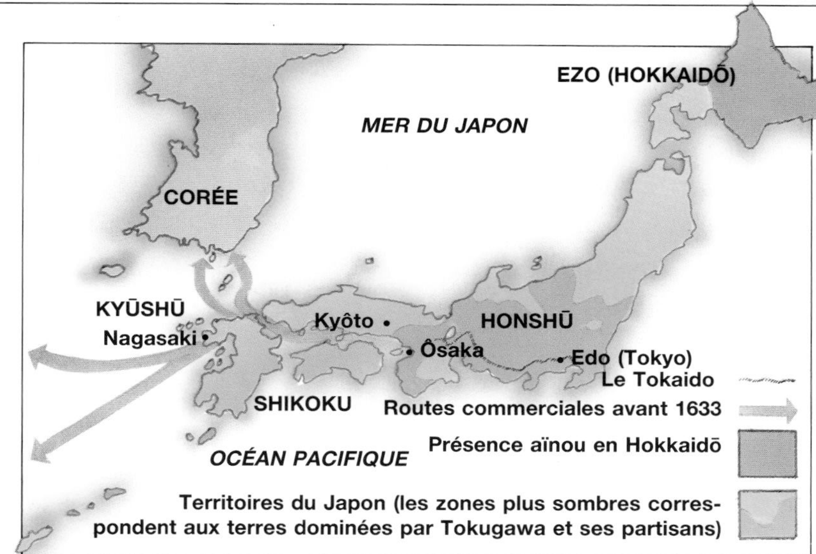

CHRONOLOGIE

1603. Tokugawa Ieyasu devient shogun. Il installe ses quartiers généraux à Edo et construit le château Nijo à Kyôto pour affirmer son pouvoir face à l'empereur.

± 1603. Le théâtre Kabuki se développe. Les acteurs sont d'abord féminins, puis masculins.

1609. Les Hollandais installent un comptoir commercial à Hirado.

1616. Ieyasu meurt. Il est inhumé à Nikko, dans le célèbre temple shintoïste.

1635-1639. Des lois interdisent aux Japonais de sortir du pays et aux étrangers d'y entrer. Le christianisme est aboli.

1641. Les commerçants hollandais sont repoussés vers Deshima, une île proche de Nagasaki. Ils importent au Japon de la soie brute, du sucre, des médicaments et diverses denrées.

± 1635. Certaines familles marchandes s'imposent, telle celle des Mitsui qui, aujourd'hui, détient de nombreuses banques et supermarchés.

1657. Edo est détruite par le feu.

1687. Début de la période Genroku. Développement de la vie citadine; les théâtres kabuki et les marionnettes bunraku deviennent de plus en plus populaires.

1694. Mort du poète Basho.

± 1720. Les Japonais commencent à importer des livres hollandais.

1774. Première traduction d'un livre hollandais. Le « savoir hollandais » se diffuse.

± 1794-1840. Développement de la sculpture sur bloc de bois.

1853. Arrivée des premiers « bateaux noirs » américains. Le commodore Perry demande à commercer avec le Japon.

Quatre classes
Chacun connaissait bien sa place dans la société Edo. Sous l'empereur et les shoguns, il y avait quatre classes. Au sommet, se trouvaient les samouraïs, prêts à trancher la tête de tout désobéissant. Puis, venaient les fermiers qui cultivaient le riz pour tous. Ensuite, les artisans dont les divers produits étaient vendus sur les marchés. Les marchands se situaient tout au bas de l'échelle car ils ne cultivaient ni ne fabriquaient rien.

La montée des marchands
Les marchands prirent de plus en plus d'importance du fait de leur richesse. Ils vendaient du riz et des produits de luxe. Les énormes magasins de tissu qui s'ouvrirent à l'époque Edo (voir ci-dessous) préfigurent les grands magasins d'aujourd'hui. Ôsaka était déjà le plus grand centre commercial.

Les marchands aimaient se divertir, aller au théâtre et au restaurant. Leur mode de vie rivalisait avec celui des samouraïs. Ils achetaient les kimonos en soie les plus chers pour leurs femmes et leurs filles, bien que ce fut défendu par la loi.

Art et artisans

On trouve encore aujourd'hui de nombreux objets d'artisanat de l'époque Edo. Leur technique se transmettait de maître à apprenti, dans le cadre de corporations dirigées par un patron fortuné, parfois un prêtre.

Les artisans produisaient de la poterie, des sabres, des tapis en tatami, des éventails et des objets en bois recouverts de laque, une résine qui les rend durs et brillants.

La fabrication des vêtements était un procédé long et difficile. Les matières premières devaient être filées, tissées et teintes. Les tailleurs devaient ensuite confectionner des vêtements compliqués. Seuls les riches portaient de la soie. La majorité du peuple devait se contenter de coton teint avec des motifs en indigo (teinture bleue).

Les constructions

Au Japon, toutes les constructions étaient en bois, ce qui présentait un grand risque d'incendie. Elles étaient protégées contre la pluie et la neige par des volets. Les maisons (voir photo ci-contre) étaient assez froides à cause des portes coulissantes et du manque de chauffage. Les sols étaient couverts de tapis tatami, en paille de riz, sur lesquels on s'asseyait et dormait. Les Japonais se déchaussaient avant d'entrer. Cette tradition existe encore de nos jours : les maisons modernes ont gardé un grand nombre des caractéristiques traditionnelles.

L'éducation

Au XVIe siècle, le nombre d'écoles était fort restreint. Mais pendant la période Edo, le nombre d'enfants scolarisés augmenta.

Les daïmyos organisèrent de nouvelles écoles pour les enfants des samouraïs. Les textes chinois constituaient le principal sujet d'étude. De nombreuses heures étaient consacrées à la calligraphie (faite au pinceau). L'enseignement s'inspirait également d'idées chinoises telles que la loyauté, les arts martiaux et les bonnes manières. Les filles des samouraïs apprenaient de leurs mères l'art du bouquet et la cérémonie du thé – ce qui les aiderait à trouver un bon mari.

Dans les villages comme dans les villes, bien des enfants du peuple allaient également à l'école pour apprendre à lire et à écrire. Les fils d'artisans étaient éduqués par leurs pères ou par des maîtres.

Poésie et cerisiers en fleurs

Un poète du nom de Basho lança les haiku, des poèmes en dix-sept syllabes, dont le thème principal était la nature, la pluie, la lune, les montagnes, les grenouilles et surtout les cerisiers en fleurs.

Le Japon est un pays de montagnes enneigées et de volcans : il est souvent secoué par des tremblements de terre. La vie y était dure, même dangereuse. Elle pouvait se terminer de façon inattendue. La beauté de la fleur du cerisier, qui apparaît et disparaît si soudainement, rappelle la précarité de la vie. Ci-dessous, un groupe pique-nique sous un cerisier et en apprécie l'éphémère beauté.

Les distractions

Les impressions faites au moyen de blocs de bois et les peintures qui subsistent de la période Edo nous renseignent sur les distractions alors en vogue. On les appelle *ukiyoe*, ou peintures d'un monde flottant.

Certaines de ces peintures représentent des scènes tirées du kabuki – genre théâtral populaire qui parle de vengeance et d'amour. Tout était joué par des hommes, même les rôles de femmes. Les pièces modernes jouées à Tôkyô n'ont pas beaucoup changé depuis (voir photo de droite).

D'autres images illustrent le sumo, l'ancienne lutte japonaise. L'on peut voir aussi de belles femmes des quartiers de plaisir d'Edo et de Kyôto. C'était le « monde flottant » où les hommes riches allaient pour oublier leurs problèmes. Ils mangeaient, buvaient et parlaient avec des femmes appelées *geishas*.

OUVERTURE SUR LE MONDE 1853-1980

L'arrivée des Américains et d'autres étrangers força le Japon à ouvrir ses ports qui étaient restés fermés pendant plus de 200 ans. Les Nippons se sentirent en état d'infériorité face aux puissances occidentales. Le pouvoir fut rendu à l'empereur pour qu'il modernise le pays. S'inspirant de l'étranger, il réforma la structure sociale du pays. Les samouraïs et le système de classes furent abolis. Le Japon connut une véritable révolution industrielle. De nombreux paysans quittèrent la terre pour les usines.

Tout en se modernisant, l'empire développa ses forces armées pour conquérir de nouvelles terres, tout comme les pays occidentaux. Mais ce fut la catastrophe à l'issue de la Seconde Guerre mondiale. Depuis, le Japon maintient de bonnes relations avec ses anciens ennemis et s'est attelé à son redressement puis à sa croissance économique. Aujourd'hui, il est une grande puissance mondiale et l'une des nations les plus techniquement développées.

En 1964, les Jeux olympiques furent organisés à Tôkyô. Plus de 90 nations y prirent part, et, pour la première fois, le Japon fut le point de mire du monde entier. Ci-dessous, un Japonais porte la flamme olympique, lors de la cérémonie d'ouverture.

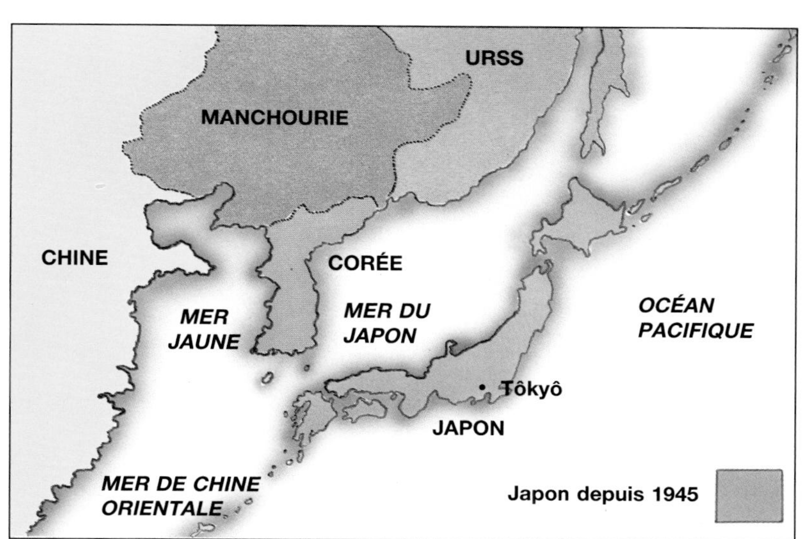

CHRONOLOGIE

1854-1858. Le Japon signe des traités de commerce et d'amitié avec les États-Unis, la Grande-Bretagne, la Russie, la France et les Pays-Bas.

1862-1868. Période de tension et de violence entre Japonais et étrangers. Des Japonais organisent une rébellion armée contre les traités.

1868. L'empereur Meiji reprend le pouvoir. Fin du shogunat.

± 1870. Les Japonais étudient les comportements étrangers et l'ingénierie de pointe. L'enseignement est généralisé.

1889. L'empereur Meiji promulgue une nouvelle Constitution.

1890. Première session du Parlement (appelée Diète).

1894-1905. Guerre contre la Chine.

1904-1905. Guerre contre la Russie.

1910. Le Japon colonise la Corée.

1931-1945. Le Japon envahit la Manchourie et la Chine et se bat contre les États-Unis et ses alliés au cours de la Seconde Guerre mondiale.

1945. Le Japon capitule après les bombardements atomiques de Hiroshima et de Nagasaki.

1945-1952. Occupation du Japon par les Forces Alliées.

1946. La Constitution accorde des droits nouveaux.

1946-1964. Redressement économique et accroissement rapide des revenus.

1956. Le Japon entre aux Nations Unies.

1964. Jeux olympiques de Tôkyô.

1979. Sommet économique de Tôkyô, réunissant les grandes puissances mondiales.

1985. Expo '85 à Tsukuba.

Les bateaux noirs
En 1853, la vue de quatre navires américains – les premiers « bateaux noirs » – stupéfia les Japonais. Puis, très vite, d'autres bâtiments arrivèrent en provenance de différents pays, de Grande-Bretagne et de Russie notamment. Les nouveaux venus demandèrent à pouvoir commercer avec le Japon. Le shogun signa des traités avec chacun d'entre eux, leur attribuant des faveurs spéciales. Des fonctionnaires étrangers allèrent vivre et travailler au Japon. À Yokohama, les étrangers étaient nombreux. Du fait de leur tenue vestimentaire originale, ils étaient un point de mire pour les Japonais.

L'influence de l'ouest
L'empereur Meiji quitta Kyôto en grande pompe (voir l'illustration ci-contre) pour s'installer à Edo, qu'il baptisa Tôkyô, ce qui signifie capitale de l'est. Il promit de faire du Japon une nation forte en empruntant leur savoir aux étrangers.

Des étudiants furent envoyés aux États-Unis et en Europe. Des ingénieurs et des professeurs furent accueillis au Japon. Se servant des modèles occidentaux, le Japon instaura de nouveaux systèmes gouvernementaux et éducatifs. L'illustration ci-contre montre une des premières sessions parlementaires. Les vêtements, la nourriture et les arts occidentaux devinrent également populaires.

Beaucoup de Japonais craignaient les étrangers. Ils reprochaient au shogun de se soumettre à eux. Finalement, le shogunat fut aboli et, en 1868, le pouvoir fut remis entre les mains de l'empereur.

Guerre et paix

Le Japon gagna la guerre contre la Chine en 1895 et contre la Russie en 1905 (voir dessin ci-dessous). Il soutint les Britanniques et leurs alliés lors de la Première Guerre mondiale.

Vers la fin des années 20, un groupe de généraux projeta d'étendre l'empire à l'Est asiatique et d'en chasser les occidentaux. Le Japon envahit la Manchourie en 1931 et la Chine en 1937. En 1941, il prit part à la Seconde Guerre mondiale en attaquant les États-Unis. Il dut se rendre lorsque ces derniers lâchèrent des bombes atomiques sur Hiroshima et Nagasaki. Plus de 150 000 personnes furent tuées. Aujourd'hui, des centaines de gens visitent des mémoriaux comme le Dôme de la Paix à Hiroshima (voir photo ci-dessous). Depuis la guerre, le Japon ne possède plus que des forces armées défensives, et œuvre pour la paix.

L'économie

Dès 1930, le Japon était un pays fortement industrialisé, fabriquant des produits chimiques, des machines, de la soie et du coton. Mais durant la Seconde Guerre mondiale, toutes les usines furent détruites.

Le Japon s'en remit très vite, comme des millions de gens purent le constater en visitant l'exposition industrielle universelle organisée à Ôsaka, en 1970.

Le problème du Japon est son manque de matières premières; le pays doit importer du pétrole et du fer. C'est l'un des premiers producteurs de voitures, de bateaux, d'acier et de téléviseurs; il vend dans le monde entier. Il y a un fossé entre les anciens métiers à tisser la soie et les usines modernes dans lesquelles les robots effectuent les travaux dangereux.

La nouvelle technologie

Actuellement, le Japon se voit contraint de réduire ses industries lourdes pour se consacrer à la haute technologie – des produits basés sur une ingénierie compacte et précise. Il est passé, dans ce domaine, aux tout premiers rangs. De grands progrès ont été réalisés dans les domaines de la robotique, de la bureautique, de l'informatique de pointe, de l'énergie, de la recherche spatiale et de la médecine.

Le Japon prépare son premier vol habité dans l'espace et, pour cela, entraîne trois astronautes dont une femme. Le Japon collabore souvent avec d'autres pays dans le domaine de la recherche. Ainsi, il produisit avec les Britanniques la navette spatiale qui fut lancée de Kagoshima en 1987 (voir la photographie à droite).

Famille et maison

Les maisons japonaises actuelles sont plutôt petites car les surfaces habitables sont fort restreintes. Toutefois, elles sont équipées en appareils électroménagers, et presque toutes les familles ont la télévision en couleur. La plupart des maisons sont un mélange de styles japonais et occidental. La nourriture japonaise est joliment présentée dans de petits bols et mangée avec des baguettes.

Traditionnellement, les mères japonaises sont responsables de l'éducation de leurs enfants pendant que leurs maris vont travailler. Les choses changent à mesure que les mères travaillent au dehors. Les grandes compagnies japonaises qui emploient de nombreux ouvriers sont elles-mêmes comme de grandes familles. Elles prennent soin de leurs travailleurs. En échange, ceux-ci restent dans la même compagnie jusqu'à l'âge de la pension.

Dans le passé, les parents âgés étaient pris en charge par leur fils aîné et sa femme. Maintenant, parce que les maisons sont si petites, les parents doivent vivre séparément. Toutefois, ils restent dans les environs et gardent des liens étroits avec leurs enfants. La photo ci-dessous nous montre une fête familiale. Les femmes et les enfants ont revêtu le kimono.

L'ANCIEN ET LE MODERNE

Le Japon ressemble à n'importe quel pays occidental. Les villes comptent gratte-ciel et supermarchés. La plupart des Japonais s'habillent à l'occidentale. Ils aiment les hamburgers et le coca-cola, regardent des vidéos et jouent au golf. Toutefois, les traditions y sont encore fort vivantes. Les artisans travaillent l'argile, le bambou, le bois et le papier. Aux grandes occasions, les femmes revêtent leurs kimonos pour visiter les temples. Le riz et le poisson constituent toujours la base de l'alimentation. Les exploits des samouraïs, le théâtre kabuki et le sumo sont retransmis à la télévision. Les arts martiaux et la calligraphie restent le passe-temps de nombreux Japonais.

Tôkyô

Tôkyô compte plus de 8 millions d'habitants. Pendant la semaine, ce chiffre est encore grossi par l'arrivée de nombreux travailleurs. La majeure partie de la ville a été reconstruite après la Seconde Guerre mondiale. On y trouve plusieurs gratte-ciel. L'artère commerciale principale, la rue Ginza (voir photo à droite), est fermée au trafic le dimanche. Les piétons y déambulent librement pour lécher les vitrines.

La finance internationale

Le Japon joue un grand rôle au sein des organisations commerciales et financières mondiales. Sa devise – le yen – est acceptée partout. Maintenant, grâce à la réussite économique que connaît le pays, le marché de Tôkyô traite de nombreuses valeurs étrangères.

Jouir du passé

La photo en haut à droite a été prise lors du très célèbre festival de Gion, à Kyôto, dont l'origine remonte au IXe siècle. Aujourd'hui, de très nombreux visiteurs s'y déplacent pour regarder son splendide défilé.

Les écoliers japonais visitent souvent les sites historiques pour apprendre leur culture. À droite, un groupe dans un temple bouddhiste.

Le Shinkansen est un des trains les plus rapides du monde (210 km/h).

INDEX

Origine des photographies
Pages 9, 10, 26 et 27 (au-dessus): International Society for Educational Information; pages 16, 27 (au-dessous), 29, 30 et 31 (à gauche et à droite): Spectrum; page 20 Hutchison Library; pages 23, 28 et 31 (au-dessous): Robert Harding.